Camille Saint-Saëns

CAVATINE
opus 144

pour trombone ténor et piano • for tenor trombone and piano
für Tenorposaune und Klavier • per trombone tenore e pianoforte

Introduction historique et notes critiques • *Historical introduction and editorial notes*
Einleitung und Kritische Anmerkungen • *Introduzione storica e note critiche*

Edmond Lemaître

Notes d'interprétation • *Notes on interpretation*
Anmerkungen zur Interpretation • *Note per l'interpretazione*

Coralie Parisis

© 2020 Éditions **DURAND**

Tous droits réservés pour tous pays
All rights reserved

Édition du 28 janvier 2020

ISMN : 979-0-044-09493-6

DF 16628

Table – Contents – Inhalt – Indice

Souvenir de San Francisco

Camille Saint-Saëns (1835 – 1921) nous laisse une trentaine d'œuvres publiées de musique de chambre. Huit d'entre elles utilisent des instruments à vent. Sa première pièce connue est la célèbre *Tarentelle* pour flûte, clarinette et piano, op. 6, qu'il compose en 1857 à l'âge de 22 ans (il en existe aussi une version orchestrale). Suivront la *Romance* pour cor et piano, op. 36 (1874), le célébrissime *Septuor* pour cordes, trompette et piano, op. 65 (1879), le *Caprice sur des airs Danois et Russes* pour flûte, clarinette, hautbois et piano, op. 79 (1887). Plus de trente années plus tard, en 1921, quelques mois avant sa mort, il écrira trois sonates pour des instruments qu'il juge «peu favorisés» par le répertoire soliste : ce seront les sonates pour hautbois, pour clarinette et enfin pour basson, chacune avec accompagnement de piano[1]. Entre les œuvres écrites à la fin du XIXe siècle et ces dernières, se place la *Cavatine* pour trombone ténor et piano, op. 144, composée en 1915.

«à Monsieur George W. Stewart»

Le dédicataire de la *Cavatine*, George W. Stewart (1851 – 1940) se distingue par une double carrière, celle d'un musicien et d'un organisateur d'événements. Joueur de trombone, il devint un membre important du *Boston Symphony Orchestra*, fondé en 1881. Mais en 1891 il quitta cet orchestre et s'attacha à une activité managériale, prenant sous sa coupe plusieurs sociétés dont le *Boston Festival Orchestra*. Par l'importance et le haut niveau de ses productions, Stewart fut amené à connaître pratiquement tous les acteurs de la vie musicale des États-Unis. Plus tard, en 1903, il devint l'un des directeurs musicaux de l'Exposition universelle de Saint-Louis (Missouri).

C'est à ce titre qu'il embarqua une première fois vers l'Europe, à la recherche d'organisations pouvant servir l'Exposition. En 1915, on lui confia d'importantes responsabilités au sein de la *Panama-Pacific International Exposition* (Exposition universelle) de San Francisco. Au sein de cet événement, la musique tenait une place considérable avec plus de 2000 séances distribuées au cours de l'exposition qui se tint du 20 février au 4 décembre 1915. C'est pour préparer ce gigantesque mouvement musical, qu'il rejoint l'Europe au printemps de l'année 1914, en recherche de musiciens, de compositeurs et d'œuvres pouvant servir son dessein. Il rencontra Saint-Saëns à Paris, il lui proposa de composer une œuvre de grande ampleur, de la diriger et lui promit de faire exécuter d'autres de ses compositions; il s'agissait de consacrer un musicien que les États-Unis reconnaissaient comme un grand maître.

Saint-Saëns acquiesça et écrivit une pièce intitulée *Hail California*, pour orchestre, orgue et musique militaire. Il arriva à San Francisco à la fin du mois de mai, juste à temps pour entendre sa *Troisième Symphonie* «avec orgue» par le *Boston Symphony Orchestra* et il dirigea trois concerts consacrés à ses propres œuvres[2], et donna un récital de piano ainsi qu'une conférence.

Avant de rejoindre Paris, notre compositeur prit le temps d'écrire, à San Francisco, une *Élégie* pour violon et piano (opus 143) à l'intention du violoniste Henry Heyman, en remerciement de la «grande gentillesse» dont il entoura Saint-Saëns au cours de son séjour californien, de mai à juillet 1915. De la même manière, en guise de reconnaissance pour son organisation exemplaire, il tint à gratifier Stewart[3] d'une composition; ce sera la *Cavatine* pour trombone ténor et piano[4].

Genèse de la composition

La composition de la *Cavatine* remonte probablement à la dernière semaine de juillet 1915. En effet, Saint-Saëns, qui avait quitté San Francisco le 9 juillet et qui, à New York, avait repris le bateau pour la France huit jours plus tard, n'avait pas pu avancer dans son projet lors de la traversée. L'œuvre sera terminée au début du mois d'août. Le 7 août, il écrit à George Stewart :

> À New York, sur le bateau, à Bordeaux, il ne m'a pas été possible d'écrire le morceau que je vous avais promis. Mais aussitôt rentré chez moi, mon premier travail a été celui-là. Il faut maintenant qu'il fasse le grand trajet qui l'amènera jusqu'à vous. Il est entre les mains du copiste et j'espère que vous pourrez l'avoir avant la fin du mois.

---

[1] Les Éditions Durand publièrent ces trois sonates en novembre 1921, soit un mois avant le décès du compositeur survenu le 16 décembre 1921 à Alger.

[2] Les 19, 24 et 27 juin.

[3] Après l'Exposition de San Francisco, Stewart rejoignit Boston où il résida jusqu'à sa mort, en 1940.

[4] Monsieur Ronald Baron, ancien trombone solo du *Boston Symphony Orchestra*, apporte de nombreux renseignements sur G. W. Stewart dans sa préface (rédigée en 2013) placée dans l'édition de l'arrangement de cette *Cavatine* pour Trombone solo et ensemble d'instruments à vent réalisé par Benjamin Coy, éd. Cherry Classics Music.

La réponse de G. Stewart fut enthousiaste :

> Je suis ravi outre mesure avec la *Cavatine*. C'est sans aucun doute la plus belle composition jamais écrite pour trombone. Mille mercis.

Saint-Saëns fit part de ces remerciements à Jacques Durand le 15 septembre en y ajoutant ce commentaire ironique :

> Voici la dépêche que je reçois de M. W. G. Stewart ; il est à désirer que tous les trombonistes soient de son avis. Il est vrai qu'on a peu écrit pour ce fulgurant instrument et l'on sait qu'il est facile d'être roi dans le royaume des aveugles, fût-on borgne[5] !

L'œuvre parut en octobre 1915 ; le compositeur fut enchanté du résultat : «Le morceau pour trombone est admirablement édité.[6] »

---

[5] Éléments de correspondance cités par Sabina Ratner, *Camille Saint-Saëns. A Thematic Catalogue of his Complete Works*. Volume 1, New York, Oxford, Oxford University press, 2002, p. 226 – 227.

[6] Lettre à Jacques Durand du 28 novembre 1915.

Principes d'édition

Cette publication s'appuie sur deux sources principales : la première édition de l'œuvre (partition générale et partie) et le manuscrit autographe de la partition générale. On trouvera la description de ces sources ci-dessous, dans les Notes critiques. Les liaisons ajoutées par l'éditeur sont indiquées de cette manière : ⌒. Dans les Variantes qui suivent sont relevées toutes les différences entre les sources. On y trouvera aussi la justification des choix éditoriaux. Enfin, signalons que les entrées en caractères gras, qui signalent les variantes principales, renvoient aux appels de notes insérés dans la partition qui sont repérés ainsi : *.

Notes critiques

Abréviations

Trb : trombone ; Pf sup : piano, portée supérieure ; Pf inf : piano portée inférieure ; mes. : mesure(s) ; p. : page(s).

Sources

A : manuscrit autographe de la partition générale piano/trombone conservée au Département de la musique de la Bibliothèque nationale de France à Paris sous la cote Ms. 838 (il n'y a pas de partie séparée de trombone). Cahier de 6 folios de format oblong 35×27 cm, 14 portées par page ; estampage «H. LARD-ES-NAULT / Ed. BELLAMY Sʳ / PARIS». Le manuscrit s'articule ainsi : page de titre, verso de la page de titre blanc, 9 pages de musique numérotées de 1 à 9, verso de la p. 9 blanc. Musique écrite à l'encre noire avec indications au crayon bleu et au crayon rouge ; notation des répliques de piano au crayon gris sur la partie de trombone par le graveur. Page de titre autographe, à l'encre noire : «à Monsieur George W. Stewart / Cavatine / pour Trombone ténor / C. Saint-Saëns». En haut de la première page de musique, indications d'une autre main au crayon gris : à gauche «Trombone et Piano», au centre «Cavatine», à droite «C. Saint-Saëns / op. 144». À la fin, au bas de la p. 9, signature : «C. Saint-Saëns/1915». Indications pour la préparation de la gravure au crayon gris non autographes : en haut à gauche «m. Douin [le graveur] / format in - 4° / + / planches 46%», à droite «Piano 9gs / Tromb. 3 figᵘ / 12 pl» ; au milieu sous le titre «Op. 144 / Cot. D. & F. 9399 / Copyright 1915 / Imprimerie Delanchy». Tampon rond de couleur violette «A. Durand & Fils, Éditeurs / Durand & Cⁱᵉ» ; sur la gauche, un tampon rond et un tampon ovale de couleur rouge de la Bibliothèque du Conservatoire national de musique de Paris. Ratures à Pf inf aux mes. 161 – 162.

E : première édition de la partition générale pour piano et trombone, Durand, 1915, cotage D. & F. 9399. Page de titre : «à Monsieur George Stewart / CAVATINE / POUR TROMBONE TENOR AVEC ACCᵀ DE PIANO / Musique de / C. SAINT-SAËNS / (Op. 144) / CSᵗS / Prix net : 3 francs / Paris. A. Durand & Fils, Éditeurs, / Durand & Cⁱᵉ / Paris, 4, Place de la Madeleine / [...] / Imp. Delanchy, Paris». Page de titre + 9 pages de musique.

Etrb : première édition de la partie de trombone, Durand 1915, insérée dans E ; même cotage ; page de titre + 3 pages de musique. Le premier tirage (E + Etrb) comprenait 200 exemplaires ; dépôt à Paris du 4 décembre 1915.

Edmond Lemaître

Variantes

Mesure	Trb / Pf	Source(s)	Remarques
58	Pf inf	A	corrigé dans E: ; conviendrait mieux
73 – 74	Trb	A	La liaison de phrasé commencée à mes. 73 n'aboutit pas à la mes. 74 (changement de page)
98, 100	Pf inf	A	2ᵉ note ♪ au lieu de ♪
104	Trb	E	♩ au lieu de ♩. au 1ᵉʳ temps
125 – 152		A	Mesures vides mais repérées par les nombres 1 à 28 au crayon rouge correspondant à la reprise des mesures 5 à 32 (repérées au crayon bleu)
157	Pf	A	*ff* au 2ᵉ temps dans A seulement
161	Pf inf	A	Rature: remplacé par :
162	Pf inf	A	Rature aux temps 1 et 2: écriture à l'octave inférieure
165	Trb	E	Pas de > au 1ᵉʳ temps
183	Pf sup	A	Pas de *espressivo*
191	Trb	A	Pas de *p*
213 – 216	Trb		Nous ajoutons *ossia* au *la*♭; *ossia* sous-entendu par une graphie en petits caractères du *la*♭ dans Etrb (*la*♭ et *ré*♭ sont d'égale grosseur dans A et E)

Notes d'interprétation

La *Cavatine* de Camille Saint-Saëns est une œuvre que tous les trombonistes aiment interpréter. Cette pièce, écrite en dédicace, est assez courte et enlevée d'où son titre probablement. Elle fait partie des rares œuvres avec piano écrite pour le trombone au début du XXᵉ siècle. Les compositeurs cantonnant bien souvent l'instrument au fond de l'orchestre, osant parfois un court solo qui ne permet jamais de démontrer, comme dans la *Cavatine*, toute l'étendue de phrasé, de nuances, de tessiture et de couleurs dont le trombone est capable. Saint-Saëns écrivait : «On a peu écrit pour ce fulgurant instrument». Malheureusement ce fut la seule pièce qu'il nous donna ; on pense même qu'il n'eut jamais l'occasion de l'entendre.

En 1922, lorsqu'elle fut proposée au concours du Conservatoire de Paris dans la classe de Monsieur Louis Allard, les élèves furent surpris par certaines difficultés. Pourtant Saint-Saëns avait compris toutes les possibilités du trombone : mouvements de coulisse, jeux de timbres, souplesses. Rappelons qu'une petite perce caractérisait le trombone ténor de l'époque. Écrite en un seul mouvement, la forme ABA, très classique, ne pose pas de problème de compréhension. La difficulté première réside dans le choix des tonalités : Ré♭ majeur pour le thème de l'Allegro et Mi majeur pour l'Andantino. On aborde assez tardivement ces tonalités dans l'apprentissage de l'élève : la 5ᵉ position est difficile à placer (aucun repère lié à l'instrument) tandis que la 7ᵉ position reste souvent négligée à cause de sa longueur. Les professeurs attendent donc souvent que l'élève ait atteint sa stature d'adulte afin qu'il puisse utiliser un trombone ténor dit «complet» qui, grâce à l'ajout d'une valve, permet d'aborder certaines tonalités et d'accéder à un répertoire agrandi. Il est donc évident qu'il faudra travailler en parallèle ces tonalités, en gammes et en arpèges sur toute la tessiture de l'instrument pour aborder l'œuvre dans la plus grande sérénité.

La deuxième difficulté réside dans l'ambitus, 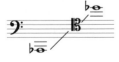 soit 3 octaves et une quarte, le *ré♭* aigu arrivant à la toute fin du morceau, là où la fatigue de l'interprète se fait ressentir. C'est probablement parce qu'il est conscient, qu'au trombone, la maîtrise de l'aigu reste particulièrement délicate, que Saint-Saëns propose un *ossia* afin que le *ré♭* ne repousse pas l'envie d'exécuter cette pièce.

Allegro

Si nous devions donner une indication métronomique, elle se tiendrait entre ♩. = 60 et ♩. = 66. En effet, l'écriture à trois temps ainsi que les accords arpégés montant dans la continuité du piano suggèrent une légèreté d'exécution sans exagérer les appuis sur les 1ᵉʳˢ temps ; les départs doivent se faire dans l'élan du piano en respirant bien avant et non sur le 1ᵉʳ temps, ce qui risquerait de casser le relais et donnerait l'idée d'un démarrage laborieux à chaque entrée. Je conseille de regarder la partition complète avec piano ; dès les premières lignes elle nous dévoile les enchainements dont je parle. On remarquera qu'au piano s'attache la nuance *f* alors que le trombone se tient dans la nuance *mf*. Pour ne pas alourdir ce passage, il sera alors nécessaire de ne pas se laisser entraîner par la dynamique du piano. Il serait judicieux que les *fa* suivant un *sol♭*, soient faits à la 6ᵉ position, dans la continuité de la coulisse – mesures 15, 48 et 51 ; même remarque pour le *la♯* en 5ᵉ position à la mesure 59. Les montées en croches, aux mesures 21 – 22 et 25 – 26, doivent être travaillées lentement pour la justesse, en portant une attention particulière aux altérations accidentelles.

Nous arrivons au point central de cette première partie qui se situe sur les triolets (mesures 29 – 30) et non pas sur le *si♭* de la mesure 28. De par sa difficulté d'exécution, cette dernière note est souvent jouée trop fort et trop appuyée ; il faut plutôt la penser comme une note de passage, et non comme un aboutissement, le *crescendo* étant là pour nous le rappeler. Les triolets, suivant la vitesse et la maîtrise du détaché de chacun, se feront en détaché simple ou détaché double (ttkt).

Les attaques «en cloches», à partir de la mesure 41, ne devront pas être trop exagérées, elles sont plutôt le signe de l'arrivée de la conclusion de cette première partie. Les mesures 45 – 46, comme un dernier soubresaut, peuvent être pensées avec un léger *crescendo* bien que celui-ci ne soit pas indiqué par Saint-Saëns ; on évitera ainsi de marquer le côté mécanique de cette phrase dû au déplacement de la coulisse. Dans cette conclusion, veillez à ne pas exagérer la nuance *p* dès les *decrescendos* qui surviennent à partir de la mesure 48 ; ainsi on pourra produire un effet de disparition progressive qui s'étendra encore sur 24 mesures ; pour exemple, le piano a une nuance *mf* à la mesure 55, endroit où la plupart des trombonistes jouent déjà *pp* !

Andantino

Nous avons souvent l'occasion d'entendre ce mouvement plutôt «adagio». Il faudra, dès la première mesure, là où le trombone installe seul le tempo, penser «allant», se rapprocher d'un tempo «andante» comme l'indique le terme «andantino», soit environ ♩=72. Cette partie centrale pouvant être même très *rubato* sur certaines phrases, avec des moments de tension puis de retour au calme que nous allons détailler.

Avant de débuter l'andantino, il sera bon d'observer, comme l'indique le point d'arrêt à la mesure 70, un silence conséquent. Le piano venant de conclure, aucune précipitation n'est nécessaire et un enchaînement trop brusque pourrait nuire à l'ambiance qu'il faut installer pour cette seconde partie. L'indication *dolce* signifie plus la douceur de l'interprétation plutôt qu'une nuance excessivement *p*. Des petits *crescendos* et *decrescendos*, en suivant la ligne musicale, aideront l'interprète, de même que le soutien des valeurs permettra de mieux conduire les phrases; un jeu plat et sans vie rendra le légato difficile.
Si avant même de l'écouter, l'on a pris soin de regarder la partition de piano, on a alors pu repérer les moments où le trombone joue seul ainsi que certains passages particuliers comme l'arrivée au climax du *largamente*, à partir de la mesure 90. Comment amener ce climax? On notera que les deux *la♯* (enchaînement mesures 79–80) et les deux *mi* (enchaînement mesures 80–81) ne devront pas être joués sur un même plan ou énoncés de façon identique; il faut bien réattaquer la 2ᵉ note et, si possible, avec une nuance et un timbre différents. Saint-Saëns a bien précisé, par la coupure de la liaison, une volonté d'appui; mesure 80 vous pouvez jouer le *la♯* à la 5ᵉ position pour repartir sur un *la♯* à la 1ʳᵉ position, l'effet de changement de couleur se fera automatiquement, cependant la justesse sera plus délicate. Ensuite, remarquons les points (de staccato) en dessous de la liaison à la mesure 83, volonté de marquer chaque note mais toujours *dolce*, comme des marches vers un premier sommet qui cependant s'évanouit assez vite, pour laisser place à un passage *espressivo* comme s'il y avait encore un espoir – espoir qui renaîtra, au piano, à la mesure 90. C'est le moment, amis trombonistes, de vous faire désirer et de montrer les magnifiques *p* dont notre instrument est capable. Vous pouvez rejouer, par curiosité, le solo de la *Symphonie n° 3* «avec orgue» de Saint-Saëns où nous retrouvons cet emploi d'un phrasé et de nuances semblables à ce passage. Lyrique, romantique, ne vous dévoilez pas tout de suite, jouez les phrases mesures 94–95 et 96–97 comme des hésitations avant le grand saut qui n'interviendra qu'à la mesure 103; méfiez-vous de ne pas prendre les accents indiqués tout au long pour des attaques dures, on doit attaquer avec beaucoup d'air et de poids comme pour donner de la profondeur au texte et non de la dureté.

Après ce magnifique Andantino, 11 mesures au piano en *stringendo* et *crescendo* nous ramèneront à la reprise de l'Allegro du début; Saint-Saëns, sur son manuscrit, n'opéra aucun changement, se contentant d'indiquer au graveur de réécrire les mêmes 28 premières mesures. Dès le 1ᵉʳ temps de la mesure 153: virage important et changement de tonalité pour insister, mesures 157–158, avec les triolets et des chevrons jusque-là non utilisés par le compositeur; j'ai remarqué qu'au même moment, sur le manuscrit, est indiqué *ff* au piano (cette indication n'apparaissait pas dans l'édition originale; voir Source E); il va sans dire que nous nous trouvons ici au point central de cette dernière partie! Mesures 163–164 puis 165–166: harmoniques descendants, qui doivent donc être faits sur la même position avec corrections de coulisse pour la justesse. Mesure 173, fracture nette, silence puis apparition des notes-pédales, très peu utilisées dans les concertos à l'époque. Il est souvent difficile pour les jeunes élèves d'atteindre ces notes, surtout de les tenir dans une nuance *p*. Il faudra veiller à ne surtout pas ralentir et laisser mourir le *la♭* pédale qui se noiera dans les syncopes aigues du piano. Arrive encore un passage délicat pour le tromboniste: les mesures 187 et 191 sont également écrites sur les harmoniques mais cette fois-ci montants, qu'il faut exécuter avec souplesse dans la nuance *p*, c'est à dire normalement sans aucune intervention de la langue, par le simple mouvement souple des lèvres – qui au bout de cinq minutes d'intense production ne sont souvent plus très souples! Vous pourrez garder ces mesures en mémoire, comme modèle à travailler sur toutes les positions lors de vos exercices d'entraînement.

La conclusion arrive par le piano qui, de nouveau *stringendo* et en hésitation, nous amènera au trait final tant redouté à l'époque, justifiant l'*ossia* sur la dernière note. Il vaut mieux un beau *la♭* qu'un *ré♭* raté! Travaillez les deux options et choisissez suivant la forme du jour!

J'espère vous avoir éclairé sur cette pièce, empreinte de simplicité mais ô combien délicate.

Coralie Parisis

A souvenir of San Francisco

Camille Saint-Saëns (1835–1921) left us about 30 published chamber works. Eight among them use wind instruments. His first well-known work is the celebrated *Tarantelle* for flute, clarinet and piano, op.6, which he composed in 1857 at the age of 22 (there is also an orchestral version of this piece). Thereafter followed the *Romance* for horn and piano, op.36 (1874), the renowned *Septet* in E flat for strings, trumpet and piano, op.65 (1879), and the *Caprice sur des airs Danois et Russes* for flute, clarinet, oboe and piano, op.79 (1887). More than 30 years later, in 1921, some months before his death, he wrote three sonatas for instruments that he felt were poorly served for solo repertoire – the sonatas for oboe, for clarinet and finally for bassoon, each with piano accompaniment.[1] Between the works written at the end of the 19th century and these last stands the *Cavatine* for tenor trombone and piano, op.144, written in 1915.

"To Monsieur George W. Stewart"

The dedicatee of the *Cavatine*, George W. Stewart (1851–1940), had a double career – as a musician and an organiser of events. A trombonist, he became a member of the Boston Symphony Orchestra, which was founded in 1881. But in 1891 he left the orchestra and took on a role as a manager, taking responsibility for several organisations including the Boston Festival Orchestra. Through the importance and high status of his productions, Stewart came to know practically everyone of significance in the musical life of the USA. Later, in 1903, he became one of the musical directors of the World's Fair in St Louis, Missouri.

It was in this role that he visited Europe for the first time, looking for organisations which could be useful to the exhibition. In 1915 he was given major responsibility relating to the Panama-Pacific International Exposition in San Francisco. Music had considerable importance within this event, with more than 2000 performances programmed during the course of the exhibition, which ran from 20 February to 4 December 1915. It was in order to prepare for this massive musical undertaking that Stewart returned to Europe in the spring of 1914, looking for musicians, composers and works which could serve his vision of the event. He met Saint-Saëns in Paris, and proposed to him that he should compose and conduct a large-scale work for the Exposition, and he promised that other works of his would also receive performances: it was a way of honouring a musician who was recognised in the USA as a great master.

Saint-Saëns agreed, and wrote a piece entitled *Hail California* for orchestra, organ and military band. He arrived in San Francisco at the end of May, just in time to hear his third symphony (the "Organ Symphony") played by the Boston Symphony Orchestra. He also conducted three concerts dedicated to his own works,[2] gave a piano recital and participated in a conference.

Before returning to Paris the composer took the time to write, in San Francisco, an *Élégie* for violin and piano (op.143) intended for the violinist Henry Heyman to thank him for the "great kindness" which he had shown to Saint-Saëns during his stay in California (May to July 1915). In the same spirit, in recognition of his exemplary organisational skills, he sought to present Stewart[3] with a composition, the *Cavatine* for tenor trombone and piano.[4]

The genesis of the composition

The start of the *Cavatine* can probably be traced back to the last week of July 1915. Saint-Saëns left San Francisco on 9 July for New York, and spent eight days there before boarding the boat for France, but was not able to move the project on during the crossing. On 7 August, he wrote to Stewart:

> In New York, on the boat, or in Bordeaux, it was not possible for me to write the piece that I promised you. But as soon as I got home, that was my first task. Now it has to make the great journey that will bring it to you. It is now in the hands of the copyist and I hope that you will be able to have it by the end of the month.

Stewart's response was enthusiastic:

> Delighted beyond measure with the *Cavatina*. It is unquestionably the most beautiful composition ever written for trombone. Thousand thanks.

---

[1] Éditions Durand published these three sonatas in November 1921, just a month before the composer's death in Algiers on 16 December 1921.

[2] The 19th, 24th and 27th of June.

[3] After the San Francisco Exposition, Stewart returned to Boston, where he lived until his death in 1940.

[4] Ronald Baron, former principal trombone of the Boston Symphony Orchestra, gives substantial information about G. W. Stewart in his preface to an arrangement of the *Cavatine* for solo trombone and wind instruments by Benjamin Coy, published by Cherry Classics Music in 2013.

Saint-Saëns shared these thanks with Jacques Durand on 15 September, adding this ironic commentary:

> Here is the cable I received from Mr. W. G. Stewart; it is to be desired that all trombonists share his view. It is true that little has been written for this stupendous instrument, and one knows that in the kingdom of the blind, the one-eyed man is king![5]

The work appeared in October 1915, and the composer was enchanted with the result: "The piece for trombone is an admirable publication."[6]

---

[5] Parts of the correspondence quoted by Sabina Ratner, *Camille Saint-Saëns. A Thematic Catalogue of his Complete Works*. Volume 1, New York, Oxford, Oxford University press, 2002, p. 226–227.

[6] Letter to Jacques Durand, 28 novembre 1915.

Principles of the edition

Thus publication relies on two principal sources: the first edition of the work (score and part) and the autograph manuscript of the full score. Descriptions of these sources can be found below, in the critical notes. Slurs added by the editor are indicated thus: ⌒. In the Variants that follow, all the differences between the sources are raised. Here will also be found justification of the editorial decisions. Finally, it should be pointed out that the entries in bold characters, which denote the principal variants, refer to footnotes in the score which are shown thus: *.

Editorial notes

Abbreviations

Trb: trombone ; Pf: piano / rh: right hand / lh: left hand / b: bar / p: page(s).

Sources

A: Autograph manuscript of the full score (piano /trombone) kept in the Music Department at the Bibliothèque nationale de France, Paris, catalogue number Ms.838 (there is no separate trombone part). Booklet of six folios, oblong format, 35×27 cm, 14 staves per page; stamped "H. LARD-ESNAULT / Ed. BELLAMY Sr / PARIS". The manuscript is made up as follows: title page, blank title verso, 9 pages of music numbered 1 to 9, verso of page 9 blank. The music is written in black ink with indications in blue and red pencils; notation of the piano cues in grey pencil on the trombone part by the engraver. Autograph on the title page, in black ink: "à Monsieur George W. Stewart / Cavatine / pour Trombone ténor / C. Saint-Saëns". At the top of the first page of music, indications in another hand in grey pencil: to the left "Trombone et Piano", in the centre "Cavatine", to the right "C. Saint-Saëns / op. 144". At the end, at the foot of p. 9, signature: "C. Saint-Saëns / 1915". Indications for the preparation of the engraving in grey pencil, unsigned:

top left "m. Douin [the engraver] / format in - 4° / + / planches 46%", top right "Piano 9gs / Tromb. 3 fig^u / 12 pl"; in the middle below the title: "Op. 144 / Cot. D. & F. 9399 / Copyright 1915 / Imprimerie Delanchy". A round stamp, violet colour: "A. Durand & Fils, Éditeurs / Durand & Cie"; to the right, a round stamp and an oval stamp in red of the library of the Conservatoire national de musique de Paris. Erasures in the pf lh at bars 161–162.

E: First edition of the score for piano and trombone, Durand, 1915, catalogue number D. & F. 9399. Title page: "à Monsieur George Stewart / CAVATINE / POUR TROMBONE TENOR AVEC ACC^T DE PIANO / Musique de / C. SAINT-SAËNS / (Op. 144) / CS^tS / Prix net : 3 francs / Paris. A. Durand & Fils, Éditeurs, / Durand & Cie / Paris, 4, Place de la Madeleine / [...] / Imp. Delanchy, Paris". Title page and 9 pages of music.

Etrb: First edition of the trombone part, Durand 1915, inserted into E; same catalogue number; title page and 3 pages of music. The first printing (E and Etrb) ran to 200 copies. Deposit in Paris, 4 December 1915.

Edmond Lemaître
(translation by Anthony Marks)

Variants

Bar	Trb / Pf	Source(s)	Remarks
58	Pf lh	A	corrected in E: ; seems more appropriate
73–74	Trb	A	The phrase mark beginning at bar 73 does not terminate at bar 74 (page break)
98, 100	Pf lh	A	2nd note ♪ instead of ♪
104	Trb	E	♩ instead of ♩. on the first beat
125–152		A	Empty bars but identified by the numbers 1–28 (in red pencil), which correspond to the repeat of bars 5–32 (marked in blue pencil)
157	Pf	A	*ff* on the second beat, only in A
161	Pf lh	A	Deletion: , replaced by:
162	Pf lh	A	Deletion in bars 1 and 2: written at the lower octave
165	Trb	E	No > on the first beat
183	Pf rh	A	No *espressivo*
191	Trb	A	No *p*
213–216	Trb		We have added an *ossia* to the A♭; an *ossia* is implied by small characters by the A♭ in Etrb (A♭ and D♭ are in equal size in A and E)

Notes on interpretation

The *Cavatine* by Camille Saint-Saëns is a work that all trombonists love to perform. This piece, dedicated to the American trombonist George W. Stewart, is quite short and lively – which is probably the reason for its title. It is one of the very few works for trombone and piano written at the beginning of the 20th century. Composers very often buried the instrument at the back of the orchestra, daring occasionally to allow a short solo which never showed, as in the *Cavatine*, the full range of phrasing, dynamics, range and colours of which the instrument is capable. Saint-Saëns wrote: "Little has been written for this stupendous instrument." Unfortunately this is the only trombone piece he left us; we also believe that he never had an opportunity to hear it performed.

When in 1922 the piece was proposed for the competition of the Paris Conservatoire class of Louis Allard, the students were surprised by certain difficulties, for Saint-Saëns had understood all the possibilities of the trombone – movements of the slide, range of timbres, lip slurs and so on. It should also be remembered that at that time, the tenor trombone was characterised by a narrow bore.

Written in a single movement, the very classic form ABA poses no problems of comprehension. The first difficulty lies in the choice of keys: D♭ major for the Allegro theme and E major for the Andantino. When learning the instrument, students come to these keys quite late: the fifth position is difficult to locate (there is no reference point on the instrument), while the seventh position is often neglected because of the required length of reach. Teachers therefore often wait until students are fully grown before teaching them to use the so-called "complete" trombone which, thanks to the addition of a valve, allows them to access certain keys and, as a result, a broader repertoire. It is therefore obvious that it is necessary to work in parallel on the scales and arpeggios of these keys throughout the range of the instrument in order to tackle the work with the most facility.

The second difficulty lies in the range: 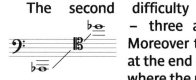 – three and a quarter octaves. Moreover the high D♭ comes right at the end of the piece, at the point where the performer feels the most fatigue. It is probably because he knew that mastery of this note on the trombone is particularly tricky that Saint-Saëns proposed an *ossia*, so that performers were not discouraged from attempting the piece.

Allegro

If we had to give a metronome marking, it would be between ♩. = 60 and ♩. = 66. In effect, the triple time signature, as well as the rising arpeggiated chords in the piano, imply a lightness of execution without over-emphasising the first beat of the bar. The starts of the phrases must derive from the momentum of the piano: breathe well in advance, and not on the first beats (which would risk breaking the links, making each entry sound laborious). I advise you to look at the complete score: from the first lines it reveals to us the links that I refer to. We can see how the piano is marked *f* while the trombone remains at *mf*. In order that this passage doesn't become too heavy, it will therefore be necessary not to be too affected by the dynamic of the piano. It would be sensible if each F following a B♭ is played in 6th position, using the continuity of the slide, in bars 15, 48 and 51. The same observation applies for the A♯ in 5th position at bar 59. The rising passages in quavers, bars 21 – 22 and 25 – 26, must be practised slowly for accuracy, paying particular attention to the accidentals.

We reach the central point of this first part, which is the triplets in bars 29 – 30 and not at the B♭ in bar 28. Because of its technical difficulty, this last note is often played too loudly and strongly; instead, it should be thought of as a transitional note and not as a culmination, the *crescendo* being there to remind us of this. Take care with the speed and control of the triplets, which should be in simple or double *détaché* (*ttkt*).

The "bell-like" notes from bar 41 should not be too exaggerated – they are more a sign of the arrival of the conclusion of this first part. Bars 45 – 46, like a last surge, can be thought of with a gentle *crescendo*, even though this was not indicated by Saint-Saëns: in this way it is possible to avoid the somewhat mechanical aspect of this phrase, arising from the movement of the slide. In this concluding part, take care not to overdo the *diminuendos* which begin at bar 48. In this way, it will be possible to create the effect of progressive disappearance which lasts a further 24 bars. For example, the piano has the marking *mf* at bar 55, at the point where most trombonists are already playing *pp*!

Andantino

We often have the occasion to hear this movement rather *adagio*. From the first bar, where the trombonist alone sets the tempo, it is important to think of movement in order to get close to a speed that tends more to *andantino* than *andante* – perhaps around ♩= 72. This central section could even be very *rubato* in certain phrases, with moments of tension then a return to calmness, as described below.

Before beginning the Andantino it is right to leave a considerable silence, as shown by the pause at bar 70. The piano having reached its conclusion, there is no hurry – and to proceed too brusquely could damage the atmosphere that must be created for the second part. The marking *dolce* refers more to the gentleness of the interpretation than overuse of the dynamic *p*. The small *crescendos* and *diminuendos*, following the musical line, will help the performer in the same way as careful breathing for the full length of the notes will enable better shaping of the phrases: flat, lifeless playing will make the *legato* difficult.

If even before hearing it, you take care to look at the piano part, you will notice the moments where the trombone plays alone, in particular passages like the arrival at the climax of the *largamente*, starting at bar 90. How should this climax be achieved? It is clear that the two A sharps (linking bars 79 and 80) and the two Es (linking bars 80 and 81) must not be played the same way or articulated in an identical manner: it is necessary to attack the second note afresh and, if possible, with a different dynamic and timbre. By breaking the slurs here, Saint-Saëns carefully specified this requirement for extra weight. At bar 80, you can play the A♯ in fifth position, in order to start again on the same note in first position. The timbral change will be automatic, though the intonation and production of tone will be more tricky. Thereafter, notice the staccato dots beneath the slur in bar 83, intended to mark each note, though always *dolce*, like steps towards a first summit which nevertheless fades quite quickly, to give way to an *espressivo* passage as if there were yet some hope – hope which is rekindled, in the piano, at bar 90. This is the moment, dear trombonists, to play hard to get and demonstrate the magnificent *pianos* that our instrument is capable of. You could revisit, out of curiosity, the solo from the composer's *Organ Symphony* (no. 3) where you will find a use of phrasing and dynamics similar to this passage. Lyrical, romantic – don't reveal everything

immediately: play the phrases in bars 94–95 and 96–97 like hesitations before a great leap, which doesn't occur until bar 103. Take care not to apply the accents shown to the full duration of the notes; it is important to attack them with plenty of air and weight, as if to give depth to the music but not length.

After the magnificent *Andantino*, 11 bars in the piano – *stringendo* and *crescendo* – lead us to the reprise of the opening *Allegro*. In his manuscript, Saint-Saëns made no changes, and was content to ask for the engraver simply to reproduce the first 28 bars. From the first beat in bar 153, there is a major shift and change of tonality to emphasize, bars 157–158, with the triplets and the vertical accents (not used by the composer before this point); I have noticed that at the same moment, on the manuscript, a *ff* is indicated in the piano (this dynamic did not appear in the original edition – see source E). It goes without saying that we find ourselves here at the central point of this final section. Bars 163–164, then 165–166: descending harmonics which must be played in the same position with adjustments to the slide for accuracy. Bar 173 – a complete break: silence, then the appearance of the pedal notes (very rarely used at this period). It is often difficult for young pupils to reach these notes and, moreover, to sustain them *piano*. Above all, be careful not to slow down or let the A flat pedal die out, or it will be submerged in the high syncopated notes in the piano. Here is another tricky passage for the trombonist: bars 187 and 191 are similarly written in harmonics, but this time rising; and they must be executed with flexibility, *p*, with no intervention from the tongue, by a simple supple movement of the lips (which, at the end of five minutes of this type of playing are often no longer all that supple!). You can keep these bars in your head, as a model to be played in all positions during your practice exercises.

The conclusion arrives in the piano which, again *stringendo* and hesitatingly, leads us to the final line, so dreaded in its day, justifying the *ossia* on its final note. Better a lovely A♭ than a fluffed D♭! Work on both options and decide on the day!

I hope I have enlightened you about this piece, at once so simple and so tricky.

Coralie Parisis
(translation by Anthony Marks)

Souvenir aus San Francisco

Camille Saint-Saëns (1835 – 1921) hat etwa dreißig publizierte Werke für Kammermusik hinterlassen. In acht von ihnen sind Blasinstrumente besetzt. Davon ist die erste bekannte Komposition die berühmte *Tarentelle* für Flöte, Klarinette und Klavier op. 6, die er 1857 im Alter von 22 Jahren komponierte (es existiert davon auch eine Orchesterversion). Es folgten die *Romance* für Horn und Klavier op. 36 (1874), das bedeutende *Septuor* für Streicher, Trompete und Klavier op. 65 (1879) und die *Caprice sur des airs Danois et Russes* für Flöte, Klarinette, Oboe und Klavier op. 79 (1887). Mehr als dreißig Jahre später und nur wenige Monate vor seinem Tod schrieb er 1921 drei Sonaten für Instrumente, von denen er meinte, dass sie im solistischen Repertoire „etwas vernachlässigt" worden seien, nämlich die Sonaten für Oboe, Klarinette und zuletzt die für Fagott, alle mit Klavierbegleitung.[1] Die Entstehungszeit der 1915 komponierten *Cavatine* für Tenorposaune und Klavier op. 144 liegt zwischen den am Ende des 19. Jahrhunderts entstandenen Werken und diesen letzten Kompositionen.

„für Mr. George W. Stewart"

Der Widmungsträger der *Cavatine*, George W. Stewart (1851 – 1940), machte eine doppelte Karriere: als Musiker und Veranstalter. Als Posaunist war er ein wichtiges Mitglied des 1881 gegründeten Boston Symphony Orchestra. Doch 1891 verließ er das Orchester und begann als Manager für eine Reihe von Institutionen zu arbeiten, darunter das Boston Festival Orchestra. Durch seine bedeutenden, auf hohem Niveau angesiedelten Produktionen kannte Stewart praktisch alle, die im Musikleben der Vereinigten Staaten eine Rolle spielten. 1903 wurde er zum musikalischen Leiter der Weltausstellung in Saint-Louis (Missouri) berufen.

In dieser Funktion unternahm er zum ersten Mal eine Reise nach Europa und suchte nach Partnern für die Ausstellung. 1915 übernahm er wichtige Aufgaben bei der Panama-Pacific International Exposition in San Francisco. Bei dieser Veranstaltung nahm die Musik einen bedeutenden Platz ein: Mehr als 2000 Aufführungen standen im Rahmen der Ausstellung, die im Zeitraum vom 20. Februar bis 4. Dezember 1915 stattfand, auf dem Programm. Um musikalische Veranstaltungen in so einer enormen Größenordnung vorzubereiten, kam er im Frühjahr 1914 erneut nach Europa und suchte hier nach Interpreten, Komponisten und Werken für die Realisierung seiner Ideen. In Paris traf er Saint-Saëns und schlug ihm vor, ein großes Werk zu komponieren und zu dirigieren. Zudem versprach er ihm, auch andere seiner Kompositionen zur Aufführung zu bringen. Es ging darum, einen Musiker zu feiern, der in den Vereinigten Staaten als großer Meister galt.

Saint-Saëns stimmte zu und schrieb ein Stück mit dem Titel *Hail California* für Orchester, Orgel und Musikkorps. Ende Mai kam er in San Francisco an, gerade rechtzeitig, um seine *Symphonie Nr. 3* („Orgelsymphonie") mit dem Boston Symphony Orchestra zu hören. Er dirigierte drei Konzerte,[2] die seinen eigenen Werken gewidmet waren, gab einen Klavierabend und hielt einen Vortrag.

Vor seiner Rückreise nach Paris nahm Saint-Saëns sich noch die Zeit, in San Francisco eine *Élégie* für Violine und Klavier (op. 143) für den Geiger Henry Heyman zu schreiben, als Zeichen seiner Dankbarkeit für die „große Liebenswürdigkeit", mit der dieser Saint-Saëns während seines Aufenthalts in Kalifornien von Mai bis Juli 1915 umsorgt hatte. Um sich auch bei Stewart[3] für dessen vorbildliche Organisation zu bedanken, bestand er darauf, ihm ebenfalls eine Komposition zu widmen: die *Cavatine* für Tenorposaune und Klavier.[4]

Entstehung der Komposition

Mit der Komposition der *Cavatine* begann Saint-Saëns vermutlich in der letzten Juliwoche 1915. Er hatte San Francisco am 9. Juli verlassen und sich in New York acht Tage später für die Rückreise nach Frankreich eingeschifft, doch während der Überfahrt hatte er das Projekt nicht vorantreiben können. Anfang August beendete er die Arbeit an dem Werk.

---

[1] Die Éditions Durand veröffentlichten diese drei Sonaten im November 1921, einen Monat nach dem Tod des Komponisten, der am 16. Dezember 1921 in Algier starb.

[2] Am 19., 24. und 27. Juni.

[3] Nach der Ausstellung in San Francisco kehrte Stewart nach Boston zurück, wo er bis zu seinem Tod 1940 lebte.

[4] In seinem (2013 redigierten) Vorwort zur Ausgabe eines Arrangements der *Cavatine* für Posaune solo und Blasinstrumente von Benjamin Coy (Cherry Classics Music) erwähnt Ronald Baron, der Soloposaunist des Boston Symphony Orchestra war, zahlreiche Details über G. W. Stewart.

Am 7. August schrieb er an George Stewart:

> In New York, auf dem Schiff, in Bordeaux war es mir nicht möglich, das Stück zu schreiben, das ich Ihnen versprochen hatte. Doch sobald ich wieder zu Haus angekommen war, galt ihm meine erste Arbeit. Nun muss es sich auf den langen Weg begeben, auf dem es zu Ihnen gelangen wird. Es ist in den Händen des Kopisten, und ich hoffe, dass Sie es vor dem Ende des Monats erhalten werden.

G. Stewart antwortete enthusiastisch:

> Ich bin über die Maßen begeistert von der *Cavatine*. Das ist ganz zweifellos die schönste Komposition, die je für die Posaune geschrieben wurde. Tausend Dank.

Diese Dankesworte gab Saint-Saëns am 15. September an Jacques Durand weiter und fügte den ironischen Kommentar an:

> Hier die Depesche, die ich von Herrn W. G. Stewart bekommen habe; es bleibt zu hoffen, dass alle Posaunisten seiner Ansicht sind. Es ist ja tatsächlich nur wenig für dieses fabelhafte Instrument komponiert worden, und bekanntlich ist es sogar für Einäugige leicht, im Reich der Blinden König zu sein![5]

Die Komposition erschien im Oktober 1915; der Komponist war sehr angetan vom Ergebnis: „Die Ausgabe des Stücks für Posaune ist fabelhaft."[6]

Editionsrichtlinien

Die vorliegende Ausgabe stützt sich auf zwei Hauptquellen: die Erstausgabe (Partitur und Stimme) und das autographe Manuskript der Partitur. Die Beschreibung dieser Quellen findet sich weiter unten in den Kritischen Anmerkungen. Die vom Herausgeber zugefügten Bögen sind wie folgt bezeichnet: ⌢. In den weiter unten abgedruckten Varianten sind alle Unterschiede zwischen den beiden Quellen aufgeführt. Dort werden auch die Entscheidungen des Herausgebers begründet. Es sei noch darauf hingewiesen, dass die fett gesetzten Einträge, durch die hier die bedeutenderen Varianten hervorgehoben werden, auf die mit einem * markierten Noten in der Partitur verweisen.

---

[5] Auszüge aus der Korrespondenz zitiert nach Sabina Ratner. *Camille Saint-Saëns. A Thematic Catalogue of his Complete Works.* Band 1 (New York, Oxford, Oxford University Press) 2002. S. 226–227.

[6] Brief an Jacques Durand vom 28. November 1915.

Kritische Anmerkungen

Abkürzungen

Ps: Posaune; Klav. ob.: Klavier, oberes System; Klav. unt.: Klavier, unteres System; S.: Seite(n).

Quellen

A: Das autographe Manuskript der Partitur für Klavier und Posaune liegt im Département de la musique der Bibliothèque nationale de France in Paris. Es trägt die Signatur Ms. 838 (eine Posaunenstimme existiert nicht). Heft aus 6 Bögen im Querformat 35×27 cm, 14 Notensysteme pro Seite; eingeprägt „H. LARD-ESNAULT / ED. BELLAMY Sr / PARIS". Das Manuskript besteht aus: Titelseite, unbeschriebene Rückseite der Titelseite, 9 Seiten Noten, durchnummeriert von 1–9, unbeschriebene Rückseite der Seite 9. Die Noten sind mit schwarzer Tinte geschrieben, zusätzliche Anmerkungen mit blauem und rotem Stift; der Stecher hat in der Partie der Posaune die Stichnoten aus dem Klavier eingetragen. Autographe Titelseite mit schwarzer Tinte: „à Monsieur George W. Stewart / Cavatine / pour Trombone ténor / C. Saint-Saëns" [für Herrn George W. Stewart / Cavatine / für Tenorposaune / C. Saint-Saëns"]. Oben auf der ersten Partiturseite Einzeichnungen von anderer Hand mit grauem Stift: links „Trombone et Piano" [Posaune und Klavier], in der Mitte „Cavatine", rechts „C. Saint-Saëns / op. 144". Am Ende, unten auf der Seite 9, signiert: „C. Saint-Saëns / 1915". Nicht autographe Angaben für die Vorbereitung des Stichs mit grauem Stift: oben links: „m. Douin [der Stecher] / format in - 4° / + / planches 46%" [M. Douin / Format in 4° / + / Druckplatten 46%], rechts „piano 9gs / Tromb. 3 figᵘ / 12 pl" [Klavier 9 Seiten / Posaune 3 Seiten, 12 Druckplatten]; in der Mitte unter dem Titel „Op. 144 / Cot. D. & F. 9399 / Copyright 1915 / Imprimerie Delanchy". Runder Stempel in violett: „A. Durand & Fils, Éditeurs / Durand & Cie"; links ein runder und ein ovaler roter Stempel der Bibliothèque du Conservatoire national de musique in Paris. Durchstreichungen im Klavier, unteres System, in den Takten 161–162.

E: Erstausgabe der Partitur für Klavier und Posaune, 1915, Editionsnummer D. & F. 9399. Titelseite: „à Monsieur George Stewart / CAVATINE

/ POUR TROMBONE TENOR AVEC ACC^T DE PIANO / Musique de / C. SAINT-SAËNS / (Op. 144) / CS^tS / Prix net : 3 francs / Paris. A. Durand & Fils, Éditeurs, / Durand & Cie / Paris, 4, Place de la Madeleine / [...] / Imp. Delanchy, Paris". Titelseite + 9 Seiten Partitur.
Etrb: Erstausgabe der Posaunenstimme, Durand

1915, eingelegt in E; dieselbe Editionsnummer; Titelseite + 3 Seiten Noten. Erste Auflage (E + Etrb) von 200 Exemplaren; Hinterlegung des Pflichtexemplars in Paris am 4. Dezember 1915.

Edmond Lemaître
(deutsch von Birgit Gotzes)

Varianten

Takt	Ps. / Klav.	Quelle(n)	Anmerkungen
58	Klav. unt.	A	in E korrigiert zu: ; bessere Lösung
73–74	Ps.	A	Der in Takt 73 beginnende Phrasierungsbogen ist nicht bis zu Takt 74 gezogen (Seitenwechsel)
98, 100	Klav. unt.	A	2. Note ♪ statt ♪
104	Ps.	E	♩ statt ♩. in der 1. Zählzeit
125–152		A	Die Takte sind nicht ausgeschrieben, aber mit rotem Stift mit den Zahlen 1–28 markiert, die einer Reprise der Takte 5–32 entsprechen (mit blauem Stift markiert)
157	Klav.	A	*ff* in der 2. Zählzeit: nur in A
161	Klav. unt.	A	Durchstreichung: ersetzt durch
162	Klav. unt.	A	1. und 2. Zählzeit: zunächst im unteren System notiert, dann durchgestrichen
165	Ps.	E	Kein > in der 1. Zählzeit
183	Klav. ob.	A	Die Spielanweisung *espressivo* fehlt
191	Ps.	A	Kein *p*
213–216	Ps.		*Ossia* vor dem *as²*; *ossia* angedeutet durch eine Schrift in kleineren Buchstaben des *as²* in Etrb (in A und E sind *as* und *des* gleich groß)

Anmerkungen zur Interpretation

Alle Posaunisten lieben es, die *Cavatine* von Camille Saint-Saëns zu spielen. Dieses Stück, das für einen Widmungsträger geschrieben wurde, ist kurz und virtuos, daher vermutlich auch sein Titel. Es ist eines der wenigen Werke für Posaune und Klavier, die am Anfang des 20. Jahrhunderts entstanden sind. Die Komponisten halten dieses Instrument im Orchester häufig im Hintergrund und wagen nur manchmal ein kurzes Solo, das es aber niemals erlaubt, wie in der *Cavatine* alle Möglichkeiten der Posaune in Phrasierung, Dynamik, Tonumfang und Klangfarben zu zeigen. Saint-Saëns schrieb: „Für dieses fabelhafte Instrument ist nur wenig komponiert worden." Leider ist es das einzige Stück, das er für Posaune geschrieben hat; es wird sogar vermutet, dass er nie die Gelegenheit hatte, es zu hören.

Als die Komposition 1922 in der Klasse von Louis Allard für den Concours du Conservatoire de Paris vorgeschrieben wurde, staunten die Schüler nicht schlecht über einige Schwierigkeiten darin. Doch Saint-Saëns hatte alle Möglichkeiten der Posaune erfasst: Zugbewegung, Klangfarben, Naturtonbindung. Es sei daran erinnert, dass die Tenorposaune zu seiner Zeit durch eine enge Mensur charakterisiert war.

Die sehr klassische Form ABA in einem einzigen Satz stellt kein Verständnisproblem dar. Die erste Schwierigkeit liegt in der Wahl der Tonarten: Des-Dur für das Thema des Allegros und E-Dur im Andantino. Vor allem mit diesen Tonarten beschäftigt man sich beim Erlernen des Instruments; die V. Position ist schwierig zu treffen (das Instrument bietet keinerlei Anhaltspunkt), während die VII. Position wegen des fast komplett ausgezogenen Zugs häufig vernachlässigt wird. Die Lehrer warten darum oft, bis der Schüler so weit ist, dass er eine Tenor-Bassposaune benutzen kann, die es dank einem Ventil erlaubt, weitere Töne und damit ein größeres Repertoire zu spielen. Es ist also klar, dass an diesen Tonarten parallel gearbeitet werden muss, in Tonleitern und Arpeggien über den gesamten Tonumfang des Instruments, um die Komposition dann gelassen angehen zu können.

Die zweite Schwierigkeit liegt im Tonumfang, 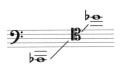 also 3 Oktaven und eine Quarte, wobei das hohe *des* erst ganz am Schluss des Stücks erscheint, also genau dann, wenn der Interpret bereits spürbar ermüdet ist. Vermutlich weil ihm bewusst war, dass die Beherrschung der Höhe für die Posaune besonders schwierig ist, schlägt Saint-Saëns ein *ossia* vor, damit das *des* nicht die Freude am Spielen dieses Stücks verdirbt.

Allegro

Wenn wir einen Vorschlag für eine Metronomangabe machen sollen, so läge er zwischen ♩. = 60 und ♩. = 66. Tatsächlich legt es der Takt mit drei Zählzeiten ebenso wie die kontinuierlichen arpeggierten Akkorde im Klaviers nahe, das Spiel mit Leichtigkeit anzugehen, ohne dabei die Betonungen auf den ersten Zählzeiten zu übertreiben; die Einsätze müssen aus dem Schwung des Klaviers heraus erfolgen, und geatmet werden sollte schon deutlich vor, nicht auf der ersten Zählzeit, weil sonst die Übernahme gestört wäre und bei jedem neuen Einsatz der Eindruck von einem mühsamen Neubeginn vermittelt würde. Ich rate dazu, die komplette Partitur mit Klavier anzusehen; schon ab den ersten Systemen ist darin die hier gemeinte Übernahme zu erkennen. Dabei ist auch zu sehen, dass im Klavier die Dynamik *f* vorgeschrieben ist, während die Posaune in der Dynamik *mf* bleibt. Um diese Passage nicht schwerfällig werden zu lassen, sollte man sich darum nicht in die Dynamik des Klaviers hineinziehen lassen. Es wäre sinnvoll, die auf ein *ges* folgenden *f* in der VI. Position zu spielen, in der Kontinuität des Zugs – Takte 15, 48 und 51; das gilt auch für das *ais* in der V. Position in Takt 59. Die aufsteigenden Läufe in Achteln in den Takten 21 – 22 und 25 – 26 müssen langsam geübt werden, um ganz exakt zu intonieren, wobei den Versetzungszeichen eine besondere Aufmerksamkeit gewidmet werden sollte.

Wir gelangen nun zum zentralen Punkt dieses ersten Teils, der zwischen den Triolen (Takte 29 – 30) liegt, und nicht etwa auf dem *b* in Takt 28. Weil diese Note schwierig zu spielen ist, wird sie oft zu laut und zu betont interpretiert. Sie muss aber eher als eine Art Übergang gedacht werden, nicht als ein Schlusspunkt, worauf auch das *crescendo* hinweist. Die Triolen können je nach den Fähigkeiten des Spielers mit Doppelzunge oder Tripelzunge (ttkt) gespielt werden.

Die Zungenstöße bei den mit *marcato* bezeichneten Akzenten ab Takt 41 dürfen nicht zu sehr übertrieben werden, die Akzente sind eher ein Zeichen dafür, das man nun beim Abschluss dieses ersten Teils ankommt. Die Takte 45 – 46 gleichen einem letzten Aufbäumen und können mit einem leichten *crescendo* gespielt werden, auch wenn das nicht so von Saint-Saëns vorgeschrieben ist; die mechanische Seite dieser Phrase, die durch die Zugbewegung entsteht, sollte vermieden werden. Bei diesem Abschluss muss darauf geachtet werden, das *p* ab den *decrescendi*, die ab Takt 48 plötzlich erscheinen, nicht zu übertreiben; auf diese Weise kann der Effekt eines schrittweisen Verklingens erzielt werden, der sich noch über 24 Takte hinzieht. So hat das Klavier zum Beispiel in Takt

55 die Spielanweisung *mf*, an einer Stelle, an der die meisten Posaunisten bereits ein *pp* spielen!

Andantino

Dieser Satz, der eher ein „Adagio" ist, ist oft zu hören. Schon ab dem ersten Takt, in dem der Posaunist allein das Tempo festlegt, sollte man an das „Gehen" denken, sich dem Tempo eines „Andante" nähern, wie es der Terminus „andantino" anzeigt, also in etwa ♩ =72. Bestimmte Phrasen dieses Mittelteils können sogar sehr *rubato* gespielt werden, mit Augenblicken der Spannung und dann einer Rückkehr zur Ruhe, wie es im folgenden noch genauer erläutert wird.

Bevor das Andantino angegangen wird, sollte man am besten eine vollkommene Stille eintreten lassen, wie es die Fermate in Takt 70 anzeigt. Nachdem das Klavier geendet hat, ist keinerlei Eile nötig, und ein zu unvermitteltes Anschließen könnte der Atmosphäre schaden, die für diesen zweiten Teil hergestellt werden muss. Die Spielanweisung *dolce* steht eher für ein *dolce* in der Interpretation als für eine übertrieben befolgtes *p*. Kleine *crescendi* und *decrescendi*, die der musikalischen Linie folgen, werden dem Interpreten dabei helfen. Auch die Notenwerte helfen dabei, die Phrasen besser zu führen; ein plattes, unbewegliches Spiel würde das Legato schwierig machen.

Wenn man sich noch vor dem Anhören die Mühe gemacht hat, die Klavierstimme anzusehen, hat man die Stellen gefunden, an denen die Posaune allein spielt und dazu auch bestimmte besondere Passagen wie das Ankommen auf dem Höhepunkt des *largamente* ab Takt 98. Wie soll diese Klimax herbeigeführt werden? Man wird sehen, dass die beiden *ais* (Übergang Takte 80–81) und die beiden *e* (Übergang Takte 81–82) nicht auf einer Ebene gespielt oder auf dieselbe Art ausgedrückt werden sollten; die zweite Note muss deutlich neu angesetzt werden, mit einer anderen Dynamik und anders im Timbre. Saint-Saëns hat durch die Unterbrechung des Bogens den Willen zu einem Innehalten präzise angezeigt. In Takt 80 kann das *ais* in der V. Position gespielt werden, um dann zu einem *ais* in der I. Position zu wechseln – damit stellt sich der Effekt eines Klangfarbenwechsels automatisch ein, allerdings wird die Intonation schwieriger. Zuletzt sei auf die (Staccato-)Punkte unter dem Bogen in Takt 83 hingewiesen, die anzeigen, dass jede Note markiert werden soll, aber immer *dolce*, wie die Stufen hinauf auf einen ersten Gipfel, der aber dann ziemlich schnell verschwindet, um einer mit *espressivo* bezeichneten Passage Platz zu machen, als gäbe es noch eine Hoffnung – eine Hoffnung, die im Klavier in Takt 90 neu geboren wird. Das ist der Augenblick, liebe Posaunisten-Freunde, Euch bewundern zu lassen und die herrlichen *p* zu zeigen, zu denen unser Instrument fähig ist. Sie können rein aus Neugier einmal das Solo aus der *Symphonie n° 3* („Orgelsymphonie")

von Saint-Saëns spielen, wo sich diese Art einer Phrasierung und eine ähnliche Dynamik wie in dieser Passage finden. Lyrisch, romantisch, verraten Sie das nicht gleich, spielen Sie die Phrasen der Takte 94–95 und 96–97 wie zögernd vor dem großen Sprung, der erst mit Takt 103 erreicht wird; achten Sie darauf, nicht alle vorgeschriebenen Akzente mit zu hartem Anstoß zu spielen, man muss mit sehr viel Luft und Gewicht arbeiten, wie um der Musik Tiefe zu geben, nicht Härte.

Nach diesem herrlichen Andantino führen uns 11 mit *stringendo* bezeichnete Takte im Klavier zur Reprise des Allegros vom Anfang; in seinem Manuskript notierte Saint-Saëns keine Veränderung, sondern nur die Anweisung an den Stecher, die 28 Takte exakt zu wiederholen. Ab der ersten Zählzeit des Taktes 153: Wichtige Umkehr und Wechsel der Tonart, um in den Takten 157–158 mit Triolen und Akzenten (*martellato*), die der Komponist bisher nicht benutzt hatte, zu insistieren; im Manuskript ist mir aufgefallen, dass an dieser Stelle im Klavier ein *ff* steht (diese Spielanweisung stand nicht in der Erstausgabe, siehe Quelle E). Es versteht sich von selbst, dass wir uns hier am Mittelpunkt des Stücks befinden! Takte 163–164 und 165–166: eine absteigende Naturtonreihe, die also in derselben Position mit Korrekturen des Zugs für die Intonation gespielt werden muss. Takt 173, ein klarer Bruch, Stille, dann erscheinen Pedaltöne, die in der Literatur dieser Zeit nur selten eingesetzt wurden. Es ist schwierig für junge Spieler, diese Töne zu erreichen und dies besonders, wenn sie in der Dynamik *p* zu spielen sind. Es muss darauf geachtet werden, auf keinen Fall langsamer zu werden und das Pedal-*as* verhauchen zu lassen, das sich in den hohen Synkopen des Klaviers auflösen soll. Danach kommt noch eine für den Posaunisten schwierige Stelle: In den Takten 187 und 191 stehen ebenfalls Naturtonreihen, aber diesmal aufsteigend, was mit Leichtigkeit und *p* gespielt werden muss, das heißt normalerweise ohne irgendeine Intervention der Zunge, durch eine einfache leichte Bewegung der Lippen – die nach fünf Minuten intensiven Spielens sehr oft nicht mehr sehr elastisch sind! An diese Takte können Sie bei Ihrem täglichen Üben als ein Modell für das Üben in allen Lagen denken.

Das Ende wird durch das Klavier erreicht, das uns wiederum *stringendo* und zögernd zum letzten Abschnitt bringt, der zur Entstehungszeit so gefürchtet war, was das *ossia* auf der letzten Note erklärt. Es ist hier besser, ein schönes *as* zu spielen als ein misslungenes *des*! Arbeiten Sie an beiden Optionen und entscheiden Sie nach Tagesform!

Ich hoffe, ich habe Ihnen damit Aufschluss über dieses Stück geben können, das so einfach scheint und doch so schwierig ist.

Coralie Parisis
(deutsch von Birgit Gotzes)

à Monsieur George W. Stewart

CAVATINE
pour trombone ténor et piano
opus 144

Camille Saint-Saëns

Trombone

DF 16628

71 **2** **Andantino**

dolce

79

85

espressivo

dim. *p*

92 **3**

cresc. *f* *largamente*

100

107

dim. - - - - - - *p*

Piano

7

123 **4** **Allegro**

mf

132

1

140

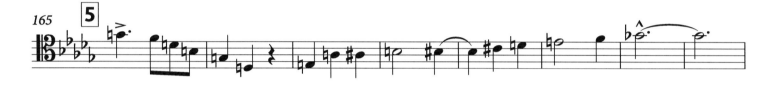

Ricordo di San Francisco

Camille Saint-Saëns (1835–1921) ci ha lasciato all'incirca una trentina di opere di musica da camera edite. Otto di queste contemplano l'utilizzo degli strumenti a fiato. Di tale insieme di composizioni, il suo primo pezzo noto è la famosa *Tarentelle* per flauto, clarinetto e pianoforte, op. 6, composta all'età di 22 anni nel 1857 (ne esiste anche una versione orchestrale). Seguono la *Romance* per corno e pianoforte, op. 36 (1874), il celeberrimo *Septuor* per archi, tromba e pianoforte, op. 65 (1879), il *Caprice sur des airs Danois et Russes* per flauto, clarinetto, oboe e pianoforte, op. 79 (1887). Oltre trent'anni dopo, nel 1921, pochi mesi prima della sua scomparsa, Saint-Saëns scrive tre sonate per strumenti che definisce "poco privilegiati" nel repertorio solistico: una per oboe, una per clarinetto e infine una per fagotto, tutte con accompagnamento di pianoforte.[1] Tra le opere scritte alla fine del XIX secolo e queste ultime, si colloca la *Cavatine* per trombone tenore e pianoforte, op. 144, composta nel 1915.

"a Monsieur George W. Stewart"

Il dedicatario della *Cavatine*, George W. Stewart (1851–1940), si distingue per una doppia carriera, quella di musicista e quella di organizzatore di eventi. Trombonista, diviene un importante membro della Boston Symphony Orchestra, fondata nel 1881. Nel 1891 lascia l'orchestra e intraprende un'attività manageriale, occupandosi di diverse società tra cui la Boston Festival Orchestra. Per l'importanza e l'alto livello delle sue produzioni, Stewart viene a contatto praticamente con tutti i protagonisti della vita musicale statunitense. In seguito, nel 1903, diviene uno dei direttori musicali dell'Esposizione Universale di St. Louis, nel Missouri.

È a questo titolo che s'imbarca per la prima volta verso l'Europa alla ricerca di organizzazioni che possano servire per l'Esposizione. Nel 1915 gli sono infatti state affidate importanti responsabilità per la Panama-Pacific International Exposition (Esposizione Universale) di San Francisco. Nell'ambito di questo evento, la musica occupa un posto di spicco con oltre 2000 manifestazioni distribuite nel corso di tutta l'Esposizione, che ha luogo dal 20 febbraio al 4 dicembre 1915. È per preparare questo gigantesco movimento musicale che Stewart raggiunge l'Europa nella primavera del 1914, alla ricerca di musicisti, compositori e opere che possano servire ai suoi scopi. Incontra Saint-Saëns a Parigi e gli propone di comporre un'opera di grande ampiezza e di dirigerla promettendo di far eseguire altre sue composizioni; si tratta di consacrare un musicista riconosciuto negli Stati Uniti come un grande maestro.

Saint-Saëns accoglie l'invito e compone un pezzo intitolato *Hail California*, per orchestra, organo e banda militare. Arriva a San Francisco alla fine di maggio, giusto in tempo per ascoltare la sua *Troisième Symphonie* "con organo" eseguita dalla Boston Symphony Orchestra, per dirigere tre concerti dedicati ai suoi lavori,[2] tenere un recital di pianoforte e una conferenza.

Prima di tornare a Parigi, il compositore trova il tempo di scrivere, a San Francisco, un'*Élégie* per violino e pianoforte (op. 143) per il violinista Henry Heyman, in segno di gratitudine per la "grande gentilezza" riservata allo stesso Saint-Saëns durante il suo soggiorno in California, da maggio a luglio 1915. Allo stesso modo, quale riconoscimento della sua organizzazione esemplare, vuole ringraziare Stewart[3] con una composizione: la *Cavatine* per trombone tenore e pianoforte.[4]

Genesi della composizione

La composizione della *Cavatine* risale probabilmente all'ultima settimana del luglio 1915. In realtà Saint-Saëns, che lasciava San Francisco il 9 luglio e che, a New York, saliva sul transatlantico per la Francia otto giorni dopo, non riesce a portare avanti il progetto durante la traversata. L'opera viene terminata all'inizio di agosto. Il 7 agosto Saint-Saëns scrive a George Stewart:

> A New York, sul transatlantico, a Bordeaux, non mi è stato possibile scrivere il pezzo che vi avevo promesso. Ma è stata la mia prima occupazione appena sono tornato a casa. Ora deve compiere il grande viaggio che ve lo porterà. È nelle mani del copista e spero che lo possiate avere prima della fine del mese.

---

[1] Le Edizioni Durand pubblicano queste tre sonate nel novembre 1921, ossia un mese prima della scomparsa del compositore avvenuta il 16 dicembre 1921 ad Algeri.

[2] Il 19, 24 e 27 giugno.

[3] Dopo l'Esposizione di San Francisco, Stewart si trasferisce a Boston dove risiede fino alla scomparsa nel 1940.

[4] Ronald Baron, ex trombone solista della Boston Symphony Orchestra, fornisce molte informazioni su G. W. Stewart nella sua prefazione (del 2013) all'edizione dell'arrangiamento della *Cavatine* per trombone solista ed ensemble di strumenti a fiato realizzato da Benjamin Coy, per le edizioni Cherry Classics Music.

La risposta di Stewart fu entusiastica:

> Sono enormemente felice della *Cavatine*. È senza dubbio la più bella composizione mai scritta per il trombone. Mille grazie.

Saint-Saëns riporta questi ringraziamenti a Jacques Durand il 15 settembre chiosando ironicamente:

> Questo è il dispaccio che ricevo dal Signor W. G. Stewart; speriamo che tutti i trombonisti siano della sua opinione. È vero che abbiamo scritto poco per questo straordinario strumento e sappiamo che è facile essere re nel regno dei ciechi, anche con un occhio solo![5]

L'opera viene pubblicata nell'ottobre 1915; il compositore è soddisfatto del risultato: "Il brano per trombone è stato mirabilmente pubblicato".[6]

---

[5] Dalla corrispondenza citata da Sabina Ratner, *Camille Saint-Saëns. A Thematic Catalogue of his Complete Works*. Volume 1, New York-Oxford, Oxford University Press, 2002, pp. 226–227.

[6] Lettera a Jacques Durand del 28 novembre 1915.

Principi editoriali

Questa pubblicazione si basa su due fonti principali: la prima edizione dell'opera (partitura e parte per trombone) e il manoscritto autografo della partitura. Queste fonti sono descritte qui di seguito nelle Note critiche. Le legature aggiunte dall'editore sono indicate come segue : ⌒. Nelle varianti che seguono sono riportate tutte le differenze tra le fonti, e si troverà anche la motivazione delle scelte editoriali. Infine, le voci in grassetto, che indicano le varianti principali, si riferiscono ai richiami inseriti nello spartito che sono contrassegnati come segue: *.

Edmond Lemaître
(traduzione italiana di Luisella Molina)

Note critiche

Abbreviazioni

Trb: trombone; Pf sup: pianoforte, pentagramma superiore; Pf inf: pianoforte pentagramma inferiore; batt.: battuta(e); p.: pagina(e).

Fonti

A: manoscritto autografo dello spartito pianoforte/ trombone conservato presso il Département de la musique della Bibliothèque nationale de France a Parigi con segnatura Ms. 838 (manca la parte separata di trombone). Quaderno di 6 fogli in formato oblungo 35×27 cm, 14 pentagrammi per pagina; stampigliatura "H. LARD-ESNAULT / ED. BELLAMY Sʳ / PARIS". Il manoscritto si compone come segue: frontespizio, verso del frontespizio bianco, 9 pagine di musica numerate da 1 a 9, verso della p. 9 bianco. Musica scritta con inchiostro nero con indicazioni scritte a matita blu e matita rossa; notazione delle repliche del pianoforte a matita grigia sulla parte del trombone per mano dell'incisore. Frontespizio autografo, con inchiostro nero: "à Monsieur George W. Stewart / Cavatine / pour Trombone ténor / C. Saint-Saëns". In alto nella prima pagina di musica, indicazioni di altra mano a matita grigia: a sinistra "Trombone et Piano", al centro "Cavatine", a destra "C. Saint-Saëns / op. 144". Alla fine, in basso nella p. 9, firma: "C. Saint-Saëns /

1915". Indicazioni a matita grigia non autografe per la preparazione dell'incisione: in altro a sinistra "m. Douin [l'incisore] / format in - 4° / + / planches 46%", a destra "Piano 9gs / Tromb. 3 figᵘ / 12 pl"; al centro sotto il titolo "Op. 144 / Cot. D. & F. 9399 / Copyright 1915 / Imprimerie Delanchy". Timbro tondo di colore violetto "A. Durand & Fils, Éditeurs / Durand & Cⁱᵉ"; a sinistra, un timbro tondo e un timbro ovale di colore rosso della Bibliothèque du Conservatoire national de musique di Paris. Cancellature nel Pf inf alle batt. 161–162.

E: prima edizione dello spartito per pianoforte e trombone, Durand, 1915, numero di catalogo D. & F. 9399. Frontespizio: "à Monsieur George Stewart / CAVATINE / POUR TROMBONE TENOR AVEC ACCᵀ DE PIANO / Musique de / C. SAINT-SAËNS / (Op. 144) / CSᵗS / Prix net : 3 francs / Paris. A. Durand & Fils, Éditeurs, / Durand & Cⁱᵉ / Paris, 4, Place de la Madeleine / [...] / Imp. Delanchy, Paris". Frontespizio + 9 pagine di musica.

Etrb: prima edizione della parte per trombone, Durand 1915, inserita in E; stesso numero di catalogo; frontespizio + 3 pagine di musica. La prima tiratura (E + Etrb) era di 200 esemplari; deposito a Parigi il 4 dicembre 1915.

Varianti

Battute	Trb / Pf	Fonte(i)	Osservazioni
58	Pf inf	A	[notazione musicale] corretto in E: [notazione musicale] ; [notazione musicale] è preferibile
73–74	Trb	A	La legatura di fraseggio iniziata a batt. 73 non arriva alla batt. 74 (cambiamento di pagina)
98, 100	Pf inf	A	2ª nota ♪ invece di ♪
104	Trb	E	♩ invece di ♩. sul 1° tempo
125–152		A	Battute vuote ma contrassegnate dai numeri da 1 a 28 a matita rossa corrispondenti alla ripresa delle battute da 5 a 32 (contrassegnate a matita blu)
157	Pf	A	$f\!f$ sul 2° tempo solamente in A
161	Pf inf	A	Cancellatura: [notazione musicale] , sostituita da: [notazione musicale]
162	Pf inf	A	Cancellatura sul 1° e 2° tempo: scrittura all'ottava inferiore
165	Trb	E	Manca > sul 1° tempo
183	Pf sup	A	Manca *espressivo*
191	Trb	A	Manca p
213–216	Trb		Aggiungiamo *ossia* al *la*♭; *ossia* sottinteso da una grafia con caratteri piccoli del *la*♭ in Etrb (*la*♭ e *re*♭ hanno uguale grandezza in A e E)

Note per l'interpretazione

La *Cavatine* di Camille Saint-Saëns è una composizione molto amata dai trombonisti. Scritta come omaggio, è molto breve e leggera: da ciò probabilmente deriva il suo titolo; è inoltre una delle rare opere per trombone e pianoforte scritte all'inizio del XX secolo. I compositori spesso relegano il trombone al fondo dell'orchestra, solo raramente affidandogli brevi assoli che non permettono mai di dimostrare tutte le sue possibilità di fraseggio, di sfumature, di tessitura e di colori, cosa che invece avviene nella *Cavatine*. Saint-Saëns affermò: "Abbiamo scritto poco per questo formidabile strumento". Purtroppo è l'unico brano per trombone che Saint-Saëns ci ha lasciato; si ritiene persino che non abbia mai avuto l'occasione di sentirlo.

Nel 1922, quando la *Cavatine* fu proposta al Conservatorio di Parigi come pezzo di concorso nella classe di Louis Allard, gli studenti furono sorpresi da alcune difficoltà che presentava. Saint-Saëns aveva esplorato tutte le possibilità del trombone: movimenti della coulisse, giochi timbrici, duttilità. Ricordiamo che all'epoca il trombone tenore presentava un alesaggio piccolo.

La *Cavatine*, in un unico movimento di classica forma ABA, è un brano di chiara e immediata comprensione. La difficoltà principale risiede nelle tonalità impiegate: Re♭ maggiore per il tema dell'Allegro e Mi maggiore per l'Andantino. Queste tonalità vengono affrontate dagli studenti abbastanza tardi: la 5ª posizione è difficile da ottenere (lo strumento non potendo fungere da punto di riferimento), mentre la 7ª posizione è trascurata a causa della sua estensione. Gli insegnanti, quindi, spesso aspettano che l'allievo abbia raggiunto la statura propria dell'età adulta in modo che possa utilizzare un trombone tenore conosciuto come "completo" che, attraverso l'aggiunta di una ritorta, permette di suonare in alcune tonalità e quindi di accedere a un repertorio più ampio. È perciò ovvio che sarà necessario lavorare in parallelo su entrambe le tonalità e su scale e arpeggi lungo l'intera estensione dello strumento per affrontare il lavoro con la massima serenità.

L'estensione, di tre ottave e una quarta, è un secondo elemento di criticità; il *re♭* acuto arriva proprio alla fine del brano, nel momento in cui la fatica dell'interprete si fa sentire. Probabilmente, conscio della delicatezza del controllo degli acuti sul trombone, Saint-Saëns propone un *ossia*, di modo che il *re♭* finale non smorzi il piacere di eseguire questo brano.

Allegro

Se dovessimo fornire un'indicazione metronomica, essa si collocherebbe tra ♩. = 60 e ♩. = 66. In effetti, sia la scrittura in ritmo ternario, sia gli accordi arpeggiati ascendenti al pianoforte, suggeriscono leggerezza di esecuzione, senza esagerare gli accenti in battere; gli attacchi vanno eseguiti seguendo lo slancio suggerito dalla parte pianistica e prendendo il respiro molto prima, non sul battere. Ciò rischierebbe di interrompere il flusso musicale e di restituire un'impressione faticosa ad ogni entrata. Consiglio di esaminare attentamente la partitura con la parte pianistica; sin dalle prime battute rivela le concatenazioni di cui parlo. Si noterà che il pianoforte presenta un *f* mentre il trombone un *mf*. Per non appesantire questo passaggio, sarà necessario non lasciarsi trascinare dalla dinamica del pianoforte. Si consiglia di suonare i *fa* che seguono un *sol♭* in 6ª posizione, nella continuità della coulisse – batt. 15, 48 e 51; stessa osservazione per il *la♯* in 5ª posizione a batt. 59. Le scale ascendenti di crome alle batt. 21 – 22 e 25 – 26 devono essere studiate lentamente per l'intonazione, prestando particolare attenzione alle alterazioni accidentali.

Arriviamo al punto centrale di questa prima parte che coincide con le terzine (batt. 29 – 30) e non col *si♭* di batt. 28. Quest'ultima nota, a causa della difficoltà di esecuzione, viene spesso suonata troppo forte e troppo marcata; deve essere piuttosto pensata come una nota di passaggio e non come una conclusione, e il *crescendo* sottostante è lì per ricordarcelo. Le terzine, in base alla velocità e al controllo dell'articolazione di ciascuna, saranno realizzate in staccato semplice o staccato doppio (ttkt).

Gli attacchi a "rintocco di campana", a partire da batt. 41, non devono essere esagerati: sono piuttosto il segnale dell'imminente conclusione di questa prima parte. Le batt. 45 – 46, come un ultimo sussulto, possono essere pensate con un leggero *crescendo*, sebbene non sia indicato da Saint-Saëns; si eviterà così di sottolineare l'aspetto meccanico di questa frase causato dallo spostamento della coulisse. In questa conclusione, fare attenzione a non esagerare la sfumatura *p* dei *diminuendo* che si presentano a partire da batt. 48; così si potrà produrre un effetto di scomparsa progressiva che si prolungherà ancora per 24 battute; per esempio, il pianoforte presenta un *mf* a batt. 55, punto in cui la maggior parte dei trombonisti suona già *pp*!

Andantino

Spesso questo movimento viene eseguito piuttosto "adagio". Sarà necessario, già a partire dalla prima battuta dove il trombone solo stabilisce il tempo, avvicinarsi a un tempo "andante", come suggerito dal termine "andantino", all'incirca ♩ = 72. Alcune frasi di questa parte centrale possono essere anche eseguite in *rubato*, con momenti di tensione e poi di ritorno alla calma, come vedremo nel dettaglio.

Prima di iniziare l'Andantino sarà bene introdurre, come indicato dalla corona di batt. 70, una pausa. Il pianoforte ha concluso, non è necessaria alcuna precipitazione: una concatenazione troppo brusca potrebbe nuocere all'atmosfera necessaria a questa seconda parte. L'indicazione *dolce* si riferisce a una delicatezza interpretativa piuttosto che a una sfumatura marcatamente *p*. Piccoli *crescendo* e *diminuendo*, seguendo la linea musicale, aiuteranno l'interprete, così come il sostegno dei valori permetterà di condurre meglio le frasi; un'interpretazione piatta e senza vita renderà difficile il legato.

Se ancora prima di ascoltare la *Cavatina* si analizza la parte di pianoforte, si potranno individuare i punti in cui il trombone suona da solo, oltre che alcuni passaggi particolari come l'apice del *largamente*, a partire da batt. 90. Come arrivare a questo culmine? Va notato che sia i due *la♯* (sequenza alle batt. 79–80) sia i due *mi* (sequenza alle batt. 80–81) non devono essere suonati sullo stesso piano o pronunciati in maniera identica; è necessario riattaccare la seconda nota e, se possibile, con una sfumatura e un timbro diversi. Saint-Saëns ha chiarito, interrompendo la legatura, la volontà di appoggiare la nota; a batt. 80 si può suonare il *la♯* in 5ª posizione per riprendere con il *la♯* in 1ª posizione: il cambiamento di colore avverrà automaticamente, nonostante l'intonazione sia più delicata. Sono altresì importanti i punti di staccato sotto la legatura a batt. 83, che marcano ogni nota ma sempre in modo dolce, come fossero passi verso un primo culmine che si esaurisce abbastanza rapidamente per lasciare il posto a un passaggio espressivo, quasi simbolo di una speranza: speranza che rinascerà nel pianoforte a battuta 90. Questo è il momento, amici trombonisti, per farvi desiderare e mostrare i magnifici *p* di cui il nostro strumento è capace. Potete suonare, per curiosità, l'assolo della *Sinfonia n. 3* "con organo" di Saint-Saëns,

dove ritroviamo un uso simile del fraseggio e delle sfumature. Lirico, romantico, ma non svelatelo subito: suonate le frasi alle batt. 94–95 e 96–97 come esitazioni prima del grande salto che arriverà solo a batt. 103; fate attenzione a non interpretare gli accenti indicati come attacchi duri: dovrete produrre il suono con molta aria e peso per dare profondità al testo, non durezza.

Dopo questo magnifico Andantino, 11 battute del pianoforte in *stringendo* e *crescendo* ci riporteranno alla ripresa dell'Allegro iniziale; Saint-Saëns, nel manoscritto, non ha apportato alcuna modifica, ma ha semplicemente indicato all'incisore di riscrivere le stesse prime 28 battute. Dal primo tempo di batt. 153: svolta importante e cambiamento di tonalità per insistere, alle batt. 158–159, con terzine e accenti sinora non utilizzati dal compositore; ho notato che nello stesso punto, sul manoscritto, è indicato *ff* per il pianoforte (questa indicazione non compariva nell'edizione originale; si veda E), è ovvio che questo è il punto centrale di quest'ultima sezione! Batt. 163–164 e 165–166: armonici discendenti, che devono quindi essere eseguiti nella stessa posizione con aggiustamenti della coulisse per l'intonazione. Misura 173, frattura netta, silenzio, poi comparsa di note-pedale, poco usate nei concerti all'epoca. Spesso è difficile per i giovani allievi ottenere queste note, soprattutto in *p*. Bisogna fare attenzione a non rallentare e far morire il *la♭* pedale, che si perderà nelle sincopi acute del pianoforte. Ma si presenta ancora un altro passaggio delicato per il trombonista: anche le batt. 187 e 191 sono scritte in armonici, ma questa volta salgono verso l'acuto. Devono quindi essere eseguite con scioltezza in *p*, cioè normalmente, senza alcun intervento della lingua, con il semplice movimento morbido delle labbra – che dopo cinque minuti di intensa produzione del suono spesso non sono più molto morbide! Potrete utilizzare queste battute come modello su cui lavorare in tutte le posizioni quando andrete a svolgere i vostri esercizi.

La conclusione arriva al pianoforte che, ancora una volta *stringendo* ed esitando, ci porterà al finale, così temuto all'epoca da giustificare l'introduzione dell'*ossia* sull'ultima nota. Meglio un bel *la♭* che un *re♭* sbagliato! Lavorate su entrambe le opzioni e scegliete in base a come vi sentite nel momento dell'esecuzione!

Spero di avervi fornito dei chiarimenti utili su questo pezzo, così semplice ma così delicato.

Coralie Parisis
(traduzione italiana di Luisella Molina)

à Monsieur George W. Stewart

CAVATINE
pour trombone ténor et piano
opus 144

Camille Saint-Saëns

DF 16628

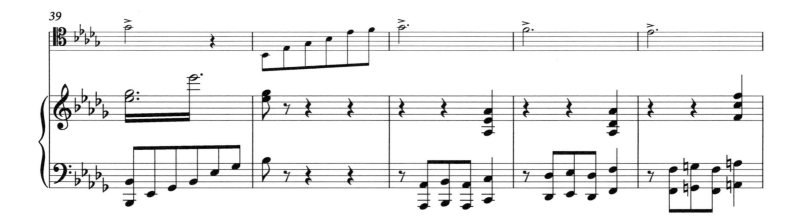

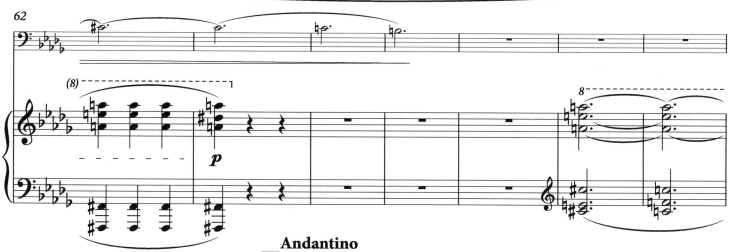

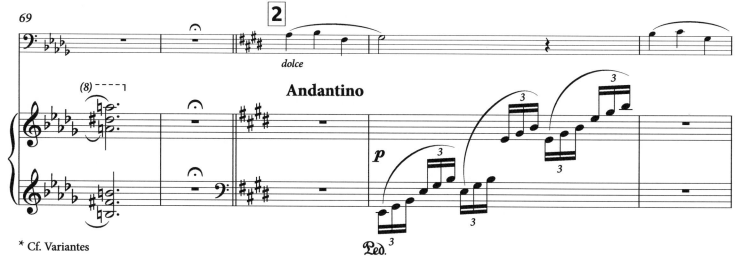

* Cf. Variantes

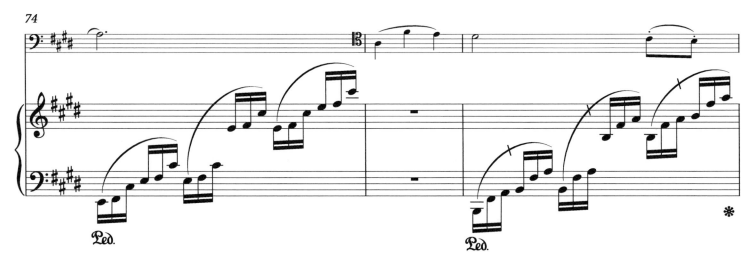

DF 16628

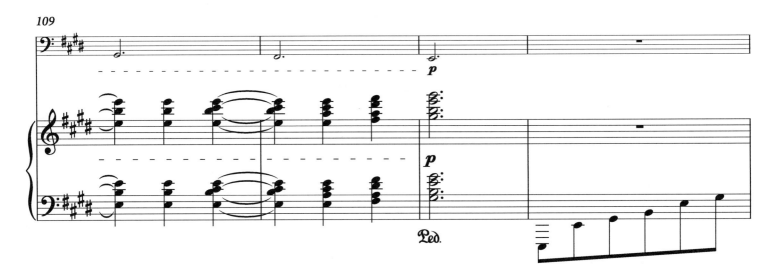

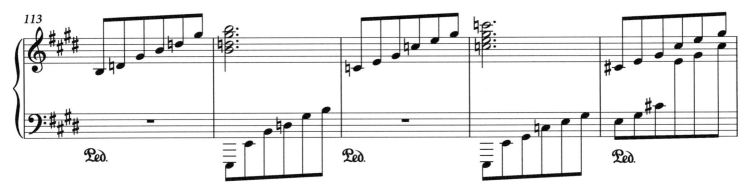

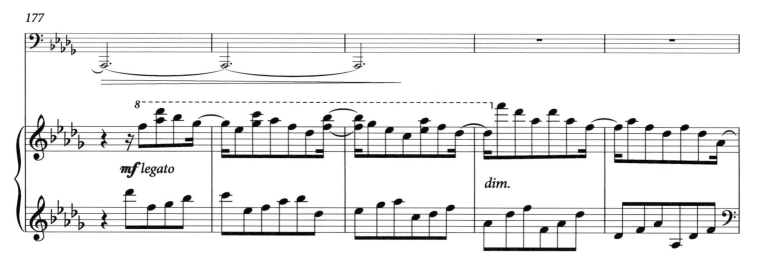

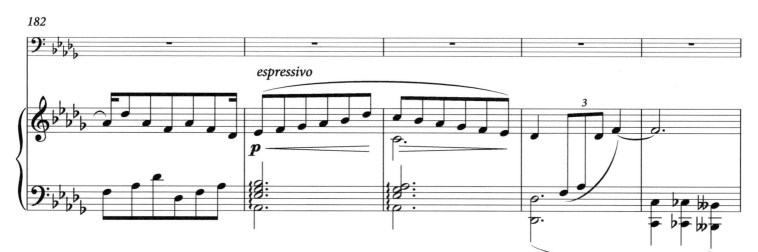

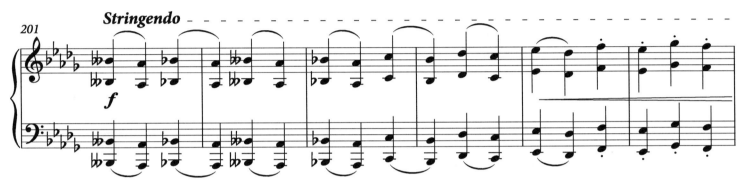

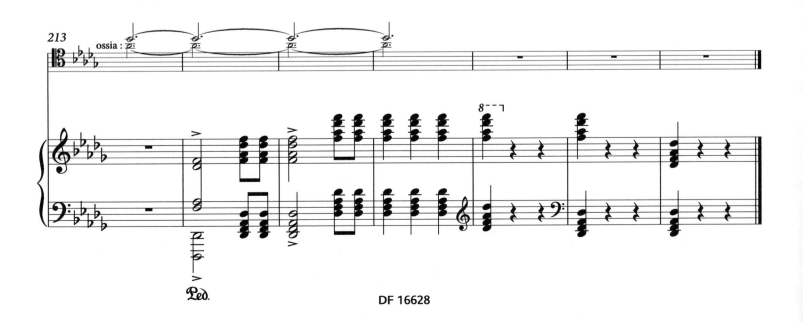

Edmond Lemaître est un musicologue français issu du Conservatoire national supérieur de musique de Paris où il obtint un Premier Prix de Musicologie.

Sa thèse sur l'orchestre est à la base de la reconstitution de l'ensemble instrumental de Louis XIV, «Les Vingt-quatre Violons du roi». Rédacteur pour plusieurs dictionnaires musicaux (Éditions Bordas, Fayard) il a dirigé le *Guide de la musique sacrée. L'âge baroque* (Fayard). Éditeur de plusieurs œuvres de l'ère baroque pour les éditions du Centre national de la recherche scientifique ou du Centre de musique baroque de Versailles, il est aussi le responsable éditorial de l'édition critique monumentale des *Œuvres complètes de Claude Debussy* pour les Éditions Durand à Paris.

Ancien Directeur du Conservatoire de musique et de Danse de Massy (Essonne) et chargé de cours à l'Université d'Évry-Val d'Essonne (Histoire de la musique et Analyse), il mène depuis toujours une activité de conférencier pour des institutions prestigieuses.

Edmond Lemaître is a French musicologist who studied at the Conservatoire national supérieur de musique, Paris, where he was awarded the Premier Prix de Musicologie.

His thesis on the history of the orchestra led to the reconstitution of the instrumental ensemble employed by Louis XIV, "Les Vingt-quatre Violons du roi." As well as being an editor for several music dictionaries (Éditions Bordas, Fayard) he directed the *Guide de la musique sacrée. L'âge baroque* (Fayard). He has edited numerous works of the Baroque period for publication by the Centre national de la recherche scientifique and Centre de musique baroque de Versailles. He is also the editorial supervisor for the complete critical edition of the *Œuvres complètes de Claude Debussy* for Éditions Durand, Paris.

Former Director of the Conservatoire de Musique et de Danse, Massy (Essonne) and lecturer at the Université d'Évry-Val d'Essonne (Histoire de la musique et Analyse), he regularly gives lectures in prestigious venues.

Edmond Lemaître ist ein französischer Musikwissenschaftler. Er hat am Conservatoire national supérieur de musique in Paris studiert, wo er mit einem Premier Prix de Musicologie ausgezeichnet wurde.

Auf seiner Dissertation über das Orchester beruht die Rekonstruktion des Instrumentalensembles von Ludwig XIV. „Les Vingt-quatre Violons du roi". Neben seiner redaktionellen Mitarbeit an mehreren Musiklexika (Éditions Bordas, Fayard) hat er den *Guide de la musique sacrée. L'âge baroque* (Fayard) herausgegeben. Er ist außerdem Herausgeber mehrerer Werke der Barockzeit für die Ausgaben des Centre national de la recherche scientifique und des Centre de musique baroque de Versailles und verantwortlicher Herausgeber der kritischen Ausgabe der *Œuvres complètes de Claude Debussy* für die Éditions Durand, Paris.

Neben seiner Tätigkeit als Früher Leiter des Conservatoire de musique et de Danse in Massy (Essonne) und als Lehrbeauftragter an der Université d'Évry-Val d'Essonne (Musikgeschichte und Analyse) wird er auch häufig von bedeutenden Institutionen zu Vorträgen eingeladen.

Edmond Lemaître è un musicologo francese formatosi al Conservatoire national supérieur de musique di Parigi dove ha conseguito un Premier Prix de Musicologie.

La sua tesi sull'orchestra è alla base della ricostruzione dell'ensemble strumentale di Luigi XIV "Les Vingt-quatre Violons du roi". Redattore per numerosi dizionari musicali (Éditions Bordas, Fayard) ha diretto la *Guide de la musique sacrée. L'âge baroque* (Fayard). Curatore di numerose opere del periodo barocco per le edizioni del Centre national de la recherche scientifique e del Centre de musique baroque de Versailles, è inoltre responsabile editoriale della monumentale edizione critica delle *Œuvres complètes de Claude Debussy* per le Éditions Durand di Parigi.

Ex direttore del Conservatoire de musique et de Danse di Massy (Essonne), tiene i corsi di Storia della musica e Analisi all'Università d'Évry-Val d'Essonne e svolge da sempre l'attività di conferenziere per prestigiose istituzioni.

Originaire du Nord de la France, **Coralie Parisis** obtient un 1ᵉʳ prix de trombone au Conservatoire national supérieur de musique et de danse de Paris ainsi qu'un 1ᵉʳ prix de musique de chambre ; elle continue ses études en pédagogie pour obtenir son certificat d'aptitude tout en participant à de nombreux concerts dans des formations reconnues (Orchestre de Paris, Opéra de Paris, Orchestre de chambre de Paris, etc.).

Elle est actuellement membre de la musique de la Police nationale, trombone solo de l'Orchestre de l'Opéra de Massy et professeur de trombone aux conservatoires de Palaiseau et d'Orsay (Essonne). Elle pratique la musique de chambre avec le quintette « Couleur cuivre », association qui a pour but de promouvoir les cuivres sous diverses formes (concert, animations pédagogiques, actions sociales etc.).

Born in northern France, **Coralie Parisis** gained a first prize in trombone at the Conservatoire national supérieur de musique et de danse de Paris, as well as a first prize in chamber music. She continued her studies in pedagogy to obtain her professional certificate, while continuing to participate in many concerts in renowned groups and ensembles (with the Orchestre de Paris, Opéra de Paris, Orchestre de chambre de Paris, etc.).

She is currently a member of the band of the Police nationale, principal trombonist of the orchestra of the Opéra de Massy, and professor of trombone at the conservatoires of Palaiseau and Orsay (Essonne). As a chamber musician, she is a member of "Couleur Cuivre", a group that aims to promote brass instruments and music in various contexts (concerts, educational workshops and community settings etc.).

Coralie Parisis, die aus Nordfrankreich stammt, wurde am Conservatoire national supérieur de musique et de danse in Paris mit dem 1. Preis für Posaune sowie dem 1. Preis für Kammermusik ausgezeichnet. Danach schloss sie ein Studium der Musikdidaktik mit dem Certificat d'aptitude ab. Zugleich wirkte sie an zahlreichen Konzerten von bekannten Klangkörpern wie dem Orchestre de Paris, dem Orchestre de l'Opéra de Paris und dem Orchestre de chambre de Paris und so weiter.

Derzeit ist sie Mitglied im Musikkorps der Police nationale und Soloposaunistin im Orchester der Oper in Massy. Zugleich unterrichtet sie Posaune an den Konservatorien von Palaiseau und Orsay (Essonne). Kammermusik spielt sie mit dem Quintett „Couleur cuivre", das sich die Förderung von Blechblasinstrumenten durch die unterschiedlichsten Aktivitäten (Konzerte, Bildung, soziales Engagement und so weiter) zum Ziel gesetzt hat.

Coralie Parisis, originaria del nord della Francia, ha vinto il 1° premio di trombone al Conservatoire national supérieur de musique et de danse di Parigi e uno di musica da camera; ha poi proseguito gli studi di pedagogia sino ad ottenere l'abilitazione, tenendo nel contempo numerosi concerti con rinomate formazioni musicali (Orchestre de Paris, Opéra de Paris, Orchestre de chambre de Paris, ecc.).

Attualmente è membro della banda della Police nationale, trombone solista nell'orchestra dell'Opéra di Massy e insegnante di trombone presso i conservatori di Palaiseau e Orsay (Essonne). Si dedica alla musica da camera con il quintetto "Couleur cuivre", un'associazione che mira a promuovere gli ottoni in vari modi (concerti, eventi educativi, azioni sociali ecc.).